Je ne te vois plus

Texte et illustrations
Paul Martin

À mes grands-mamans et mes grands-papas

Je ne te vois plus.

Je ne te vois plus
lire des histoires.

Toi dans ton fauteuil préféré, moi sur tes genoux.

Je ne te vois plus
dans ton jardin.

Tu m'apprenais
le nom des fleurs.

Je ne te vois plus
dans ta cuisine.

Tu me laissais goûter tout
ce que tu préparais.

Je ne te vois plus
avec tes grosses bottes.

Au printemps,
on courait ensemble
dans la boue.

Je ne te vois plus
avec ton gros chandail.

J'en faisais une robe
et tu me trouvais drôle.

Je ne te vois plus
ta guitare à la main.

Moi, je chantais.
Tu souriais tout le temps.

Je ne te vois plus
sortir ton gros jeu d'échecs.

Tu voulais
m'apprendre à jouer.

Je ne te vois plus
me faire des ombres chinoises.

Tu créais toutes sortes
de figures avec tes mains.

Un éléphant, un oiseau,
un lapin...

Je ne sais pas où tu es.

Mais quand je vois tout ça, je souris.

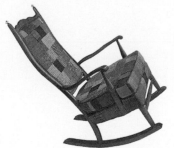

Car je ne vois plus que toi.

Nous remercions le Conseil des arts du Canada de l'aide accordée
à notre programme de publication et la SODEC pour son appui
financier en vertu du Programme d'aide aux entreprises du livre
et de l'édition spécialisée.

Nous reconnaissons l'aide financière du gouvernement du Canada par
l'entremise du Fonds du livre du Canada (FLC) pour nos activités d'édition.

Gouvernement du Québec – Programme de crédit d'impôt pour l'édition
de livres – Gestion SODEC

Les Éditions Les 400 coups sont membres de l'ANEL.

Je ne te vois plus

a été publié sous la direction de Nicolas Trost.

Design graphique : Paul Martin et Bruno Ricca
Révision : Marie-Andrée Dufresne
Correction : Jenny-Valérie Roussy

© 2017 Paul Martin
et les Éditions Les 400 coups
Montréal (Québec) Canada

Dépôt légal – 4ᵉ trimestre 2017
Bibliothèque et Archives nationales du Québec
Bibliothèque et Archives Canada

ISBN 978-2-89540-714-0

Loi 49-956 du 16 juillet 1949 sur les
publications destinées à la jeunesse.

Financé par le
gouvernement
du Canada